Meu amigo está triste

Copyright © 2007 by Mo Willems

Todos os direitos reservados. Publicado originalmente nos Estados Unidos em 2007 pela Hyperion Books for Children, com o título MY FRIEND IS SAD. Edição brasileira publicada mediante acordo com Wernick & Pratt Agency, LLC.

Grafia atualizada segundo o Acordo Ortográfico da Língua Portuguesa de 1990, que entrou em vigor no Brasil em 2009.

Título original
MY FRIEND IS SAD

Tradução
LUARA FRANÇA

Revisão
EDUARDO ROSAL, JULIANA SOUZA e ROGÉRIO AMORIM

Tratamento de imagem
JESSICA FREIRIA

Dados Internacionais de Catalogação na Publicação (CIP)
(Câmara Brasileira do Livro, SP, Brasil)

Willems, Mo
  Meu amigo está triste / Mo Willems ; [Ilustrações do autor ; tradução Luara França]. — 1ª ed. — São Paulo : Companhia das Letrinhas, 2016.

  Título original: *My Friend Is Sad*
  ISBN 978-85-7406-705-6

  1. Literatura infantojuvenil I. Título.

16-01074   CDD-028.5

Índices para catálogo sistemático:
1. Literatura infantil 028.5
2. Literatura infantojuvenil 028.5

3ª reimpressão

Todos os direitos desta edição reservados à
EDITORA SCHWARCZ S.A.
Rua Bandeira Paulista, 702, cj. 32
04532-002 — São Paulo — SP — Brasil
☎ (11) 3707-3500
 www.companhiadasletrinhas.com.br
 www.blogdaletrinhas.com.br
 /companhiadasletrinhas
 companhiadasletrinhas
 /CanalLetrinhaZ

Para minha amiga Marcia

Como alguém consegue ficar triste perto de um robô?!

Ohhh...

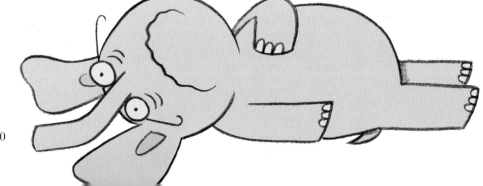

E TEM MAIS!

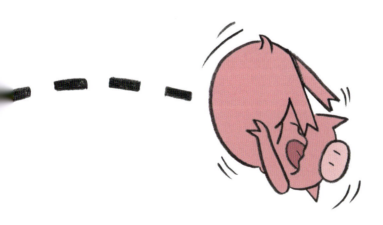

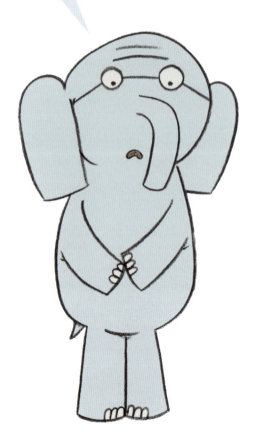
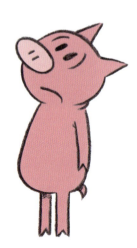

A marca FSC® é a garantia de que a madeira utilizada na fabricação do papel deste livro provém de florestas que foram gerenciadas de maneira ambientalmente correta, socialmente justa e economicamente viável, além de outras fontes de origem controlada.

Esta obra foi composta em Century 725 BT e impressa pela Geográfica em ofsete sobre papel Couché Matte da Suzano S.A. para a Editora Schwarcz em março de 2025